Certifié PEFC

Ce produit est issu
de forêts gérées
durablement,
de sources recyclées
et contrôlées

PEFC/01-31-246   www.pefc.org

Gallimard Jeunesse/Giboulées
sous la direction de Colline Faure-Poirée
Direction artistique : Hélène Quinquin

© Gallimard Jeunesse, 2014
ISBN : 978-2-07-065967-8
Numéro d'édition : 264748
Dépôt légal : septembre 2014
Loi n° 49-956 du 16 juillet 1949
sur les publications destinées à la jeunesse
Imprimé en Roumanie par G. Canale & C

Le Piratosaure

et le Fantôme de Barbedur

Alex Sanders

Gallimard Jeunesse Giboulées

Par une nuit de pleine lune, une étrange lumière attire
le navire chargé de trésors du Piratosaure...

Son bateau de pirate se fracasse alors sur le récif
d'une côte escarpée d'Écosse.
Et le Piratosaure tombe à la mer...

Mais il ne se noie pas ! Grâce à son crochet
de fer, il se cramponne aux rochers.
Et voilà qu'il assiste à un terrible spectacle...
des squelettes de pirates pillent son navire !

Un vieux château délabré
se trouve à proximité.
C'est là que tous les squelettes
ont emporté ses coffres.
Une lumière éclaire tout à coup
l'une des fenêtres...
Le Piratosaure guette. Il s'approche
en catimini dans la pénombre.
Attention ! Un squelette l'a vu !

Le Piratosaure ne le sait pas. Lui, il veut retrouver son butin
coûte que coûte. Alors il espionne. Il voit que les squelettes
ont un chef... un fantôme ! C'est un fantôme de pirate
qui mène la danse des squelettes.
« J'en ferai mon affaire ! » se dit le Piratosaure.
Il trouve une grande brèche dans
la muraille de pierre...

... Il s'y faufile comme un chat de gouttière, et pénètre à l'intérieur
du château hanté. Le Piratosaure retient son souffle. Il sent
que ses coffres ne sont pas loin, pour flairer l'or il est très fort.
Mais il ne sent pas venir le danger derrière lui !

– VOUS CHERCHEZ QUELQUE CHOSE ? !
ON PEUT VOUS AIDER ? hurle alors une grosse
voix de pirate qui résonne affreusement.
JE SUIS LE FAANTÔÔME DU CAAAPITAINE BARBEDUUURRRR ! ! !

– Et moi je suis LE PIRATOSAURE! PRENDS GARDE CAPITAINE!
JE VAIS T'APPRENDRE À MANIER LE FER ET À PILLER MES
TRÉSORS!!! hurle à son tour le roi des pirates.

Un duel effroyable s'engage. Mais voilà que les squelettes
ont apporté un filet de pêche, ils le tendent comme
une immense toile d'araignée...

Le Piratosaure est fait prisonnier.
– Nous allons te jeter aux oubliettes ! lui dit
le Fantôme de Barbedur. Et tous les squelettes claquent
des dents tellement cela les fait rire.
– Vous ne pouvez pas faire cela à un frère !
s'insurge le Piratosaure, je suis un pirate,
comme vous !

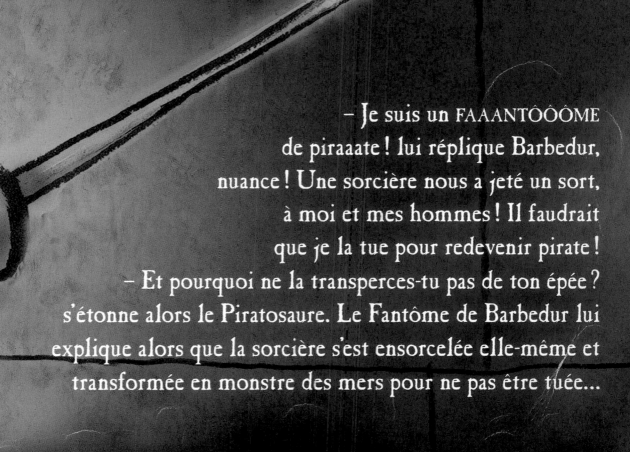

– Je suis un FAAANTÔÔÔME
de piraaate ! lui réplique Barbedur,
nuance ! Une sorcière nous a jeté un sort,
à moi et mes hommes ! Il faudrait
que je la tue pour redevenir pirate !
– Et pourquoi ne la transperces-tu pas de ton épée ?
s'étonne alors le Piratosaure. Le Fantôme de Barbedur lui
explique alors que la sorcière s'est ensorcelée elle-même et
transformée en monstre des mers pour ne pas être tuée...

... Elle se cache non loin,
dans les noires profondeurs du lac du Loch Ness !
– J'en fais mon affaire ! déclare le Piratosaure après avoir
fermement négocié qu'on lui rende ses trésors quand il l'aura
capturée. Tel est le pacte conclu par les deux pirates.

« Mais où donc se cache cette monstrueuse sorcière ? »,
se demande le Piratosaure après avoir dérivé trois heures
durant au milieu des eaux noires et glaciales du lac.

C'est alors qu'un souffle bien chaud
vient lui caresser le dos...

– Comme tu es mignon, petit crocodile ! lui dit le monstre
du Loch Ness, je m'appelle Nessie ! Et toi ?
– Heuu... je, je... suis... le Piii... ratosaure ! Bonjour Madame,
comment allez-vous ? Heu... Il y a un fantôme

et des squelettes qui m'embêtent ! Ils ont volé tous mes trésors !
bafouille alors le pirate qui, devant la taille gigantesque de cet
adversaire, décide de changer de camp illico.

Traîtrise de pirate ! Voilà le Piratosaure et Nessie alliés contre
le Fantôme de Barbedur et sa troupe squelettique !
Ils les attaquent aussitôt. Mais les canons de Barbedur tirent
à boulets rouges, et la bataille s'annonce rude.

« Mieux vaut battre en retraite », conseille Nessie. Elle a une autre idée :
– J'ai la formule magique pour redevenir sorcière, si je la dis,
ils redeviendront tous pirates dans l'instant ! Et tu récupéreras
tes trésors, Piratosaure, mais à condition que tu m'emmènes
dans les îles Caraïbes ! J'en ai assez de ce lac glacial,
j'ai besoin de soleil et de sable fin ! Et d'un petit pirate...
pour me faire des bisous. D'accord ?
– Marché conclu ! jure le Piratosaure.

Alors Nessie prononce sa formule : « Oidhche Shamhna Rutabaga ! » Et tout se passe comme prévu, plus de squelettes ni de fantôme, mais des fiers pirates et un Capitaine Barbedur fous de joie. Ils rendent ses trésors au Piratosaure et tous l'aident même à réparer, puis charger son navire...

... Son beau navire de pirate. Il largue les amarres sous
les applaudissements et les acclamations de ses nouveaux
amis, pour une croisière de rêve dans les Caraïbes
en compagnie d'une sorcière... ravissante !